Анна
АХМАТОВА

Синий пожар

поэзия

ИЗДАТЕЛЬСТВО
МОСКВА
2004

УДК 821.161.1
ББК 84(2Рос=Рус)6
А95

Текст печатается по изданию:
Ахматова А.А. Стихотворения и поэмы. —
М.: Мол. гвардия, 1989. — (XX век: поэт и время)

Серийное оформление А.А. Кудрявцева

Серия «Классическая и современная поэзия»

Подписано в печать с готовых диапозитивов 04.12.2003.
Формат 70×90¹/₃₂. Бумага типографская. Печать офсетная.
Усл. печ. л. 6,38. Тираж 5100 экз. Заказ 59.

Оригинал-макет подготовлен издательством «Фолио»

Ахматова А.А.

А95   Синий пожар: Поэзия / А.А. Ахматова. — М.: ООО
«Издательство АСТ», 2004. — 174, [2] с. — (Классическая и современная поэзия).

ISBN 5-17-015900-5

«Синий пожар» — ОЧЕНЬ необычный сборник произведе-
ний Анны Ахматовой. Сборник, представляющий читателю ее
творчество во всей полноте и многообразии, — от акмеистских
еще «Вечера», «Четок» и «Белой стаи» — до поздней, странной в контексте мировосприятия великой поэтессы «Седьмой
книги».

УДК 821.161.1
ББК 84(2Рос=Рус)6

ИЗ КНИГИ «ВЕЧЕР»

La fleur des vignes pousse
Et j´ai vingt ans ce soir.

André Theuriet[1]

* * *

Молюсь оконному лучу —
Он бледен, тонок, прям.
Сегодня я с утра молчу,
А сердце — пополам.
На рукомойнике моем
Позеленела медь.
Но так играет луч на нем,
Что весело глядеть.
Такой невинный и простой
В вечерней тишине,
Но в этой храмине пустой
Он словно праздник золотой
И утешенье мне.

1909

---

[1] Распускается цветок винограда,
   А мне в этот вечер двадцать лет.

Андре Терье (фр.).

В ЦАРСКОМ СЕЛЕ

I

По аллее проводят лошадок.
Длинны волны расчесанных грив.
О, пленительный город загадок,
Я печальна, тебя полюбив.

Странно вспомнить: душа тосковала,
Задыхалась в предсмертном бреду.
А теперь я игрушечной стала,
Как мой розовый друг какаду.

Грудь предчувствием боли не сжата,
Если хочешь, в глаза погляди.
Не люблю только час пред закатом,
Ветер с моря и слово «уйди».

II

...А там мой мраморный двойник,
Поверженный под старым кленом,
Озерным водам отдал лик,
Внимает шорохам зеленым.

И моют светлые дожди
Его запекшуюся рану...
Холодный, белый, подожди,
Я тоже мраморною стану.

III

Смуглый отрок бродил по аллеям,
У озерных грустил берегов,
И столетие мы лелеем
Еле слышный шелест шагов.

Иглы сосен густо и колко
Устилают низкие пни...
Здесь лежала его треуголка
И растрепанный том Парни.

1911

* * *

Сжала руки под темной вуалью...
«Отчего ты сегодня бледна?»
— Оттого, что я терпкой печалью
Напоила его допьяна.

Как забуду? Он вышел, шатаясь,
Искривился мучительно рот...
Я сбежала, перил не касаясь,
Я бежала за ним до ворот.

Задыхаясь, я крикнула: «Шутка
Все, что было. Уйдешь, я умру».
Улыбнулся спокойно и жутко
И сказал мне: «Не стой на ветру».

1911

* * *

Высóко в небе облачко серело,
Как беличья расстеленная шкурка.
Он мне сказал: «Не жаль, что ваше тело
Растает в марте, хрупкая Снегурка!»

В пушистой муфте руки холодели.
Мне стало страшно, стало как-то смутно.
О, как вернуть вас, быстрые недели
Его любви, воздушной и минутной!

Я не хочу ни горечи, ни мщенья,
Пускай умру с последней белой вьюгой.
О нем гадала я в канун Крещенья.
Я в январе была его подругой.

1911

ПЕСНЯ ПОСЛЕДНЕЙ ВСТРЕЧИ

Так беспомощно грудь холодела,
Но шаги мои были легки.
Я на правую руку надела
Перчатку с левой руки.

Показалось, что много ступеней,
А я знала — их только три!
Между кленов шепот осенний
Попросил: «Со мною умри!

Я обманут моей унылой,
Переменчивой, злой судьбой».
Я ответила: «Милый, милый!
И я тоже. Умру с тобой...»

Это песня последней встречи.
Я взглянула на темный дом.
Только в спальне горели свечи
Равнодушно-желтым огнем.

1911

ОБМАН

М. А. Горенко

I

Весенним солнцем это утро пьяно,
И на террасе запах роз слышней,
А небо ярче синего фаянса.
Тетрадь в обложке мягкого сафьяна;
Читаю в ней элегии и стансы,
Написанные бабушке моей.

Дорогу вижу до ворот, и тумбы
Белеют четко в изумрудном дерне.
О, сердце любит сладостно и слепо!
И радуют пестреющие клумбы,
И резкий крик вороны в небе черной,
И в глубине аллеи арка склепа.

II

Жарко веет ветер душный,
Солнце руки обожгло,
Надо мною свод воздушный,
Словно синее стекло;

Сухо пахнут иммортели
В разметавшейся косе.
На стволе корявой ели
Муравьиное шоссе.

Пруд лениво серебрится,
Жизнь по-новому легка...

Кто сегодня мне приснится
В пестрой сетке гамака?..

III

Синий вечер. Ветры кротко стихли,
Яркий свет зовет меня домой.
Я гадаю: кто там? — не жених ли,
Не жених ли это мой?..

На террасе силуэт знакомый,
Еле слышен тихий разговор.
О, такой пленительной истомы
Я не знала до сих пор.

Тополя тревожно прошуршали,
Нежные их посетили сны,
Небо цвета вороненой стали,
Звезды матово-бледны.

Я несу букет левкоев белых.
Для того в них тайный скрыт огонь,
Кто, беря цветы из рук несмелых,
Тронет теплую ладонь.

IV

Я написала слова,
Что долго сказать не смела.
Тупо болит голова,
Странно немеет тело.

Смолк отдаленный рожок,
В сердце все те же загадки,

Легкий осенний снежок
Лег на крокетной площадке.

Листьям последним шуршать!
Мыслям последним томиться!
Я не хотела мешать
Тому, кто привык веселиться.

Милым простила губам
Я их жестокую шутку...
О, вы приедете к нам
Завтра по первопутку.

Свечи в гостиной зажгут,
Днем их мерцанье нежнее,
Целый букет принесут
Роз из оранжереи.

1912

ПЕСЕНКА

Я на солнечном восходе
Про любовь пою,
На коленях в огороде
Лебеду полю.

Вырываю и бросаю —
Пусть простит меня.
Вижу: девочка босая
Плачет у плетня.

Страшно мне от звонких воплей
Голоса беды,
Все сильнее запах теплый
Мертвой лебеды.

Будет камень вместо хлеба
Мне наградой злой.
Надо мною только небо,
А со мною голос твой.

1911

МУЗЕ

Муза-сестра заглянула в лицо,
Взгляд ее ясен и ярок.
И отняла золотое кольцо,
Первый весенний подарок.

Муза! ты видишь, как счастливы все —
Девушки, женщины, вдовы...
Лучше погибну на колесе,
Только не эти оковы.

Знаю: гадая, и мне обрывать
Нежный цветок маргаритку.
Должен на этой земле испытать
Каждый любовную пытку.

Жгу до зари на окошке свечу
И ни о ком не тоскую,
Но не хочу, не хочу, не хочу
Знать, как целуют другую.

Завтра мне скажут, смеясь, зеркала:
«Взор твой не ясен, не ярок...»
Тихо отвечу: «Она отняла
Божий подарок».

1911

СЕРОГЛАЗЫЙ КОРОЛЬ

Слава тебе, безысходная боль!
Умер вчера сероглазый король.

Вечер осенний был душен и ал,
Муж мой, вернувшись, спокойно сказал:

«Знаешь, с охоты его принесли,
Тело у старого дуба нашли.

Жаль королеву. Такой молодой!..
За ночь одну она стала седой».

Трубку свою на камине нашел
И на работу ночную ушел.

Дочку мою я сейчас разбужу,
В серые глазки ее погляжу.

А за окном шелестят тополя:
«Нет на земле твоего короля...»

1910

* * *

Меня покинул в новолунье
Мой друг любимый. Ну так что ж!
Шутил: «Канатная плясунья!
Как ты до мая доживешь?»

Ему ответила, как брату,
Я, не ревнуя, не ропща,
Но не заменят мне утрату
Четыре новые плаща.

Пусть страшен путь мой, пусть опасен,
Еще страшнее путь тоски...
Как мой китайский зонтик красен,
Натерты мелом башмачки!

Оркестр веселое играет,
И улыбаются уста.
Но сердце знает, сердце знает,
Что ложа пятая пуста!

1911

Прости ж навек! но знай,
                что двух виновных,
Не одного, найдутся имена
В стихах моих,
                в преданиях любовных.

Баратынский

ВЕЧЕРОМ

Звенела музыка в саду
Таким невыразимым горем.
Свежо и остро пахли морем
На блюде устрицы во льду.

Он мне сказал: «Я верный друг!»
И моего коснулся платья.
Как не похожи на объятья
Прикосновенья этих рук.

Так гладят кошек или птиц,
Так на наездниц смотрят стройных...
Лишь смех в глазах его спокойных
Под легким золотом ресниц.

А скорбных скрипок голоса
Поют за стелющимся дымом:
«Благослови же небеса —
Ты первый раз одна с любимым».

1913

* * *

Все мы бражники здесь, блудницы,
Как невесело вместе нам!
На стенах цветы и птицы
Томятся по облакам.

Ты куришь черную трубку,
Так странен дымок над ней,
Я надела узкую юбку,
Чтоб казаться еще стройней.

Навсегда забиты окошки:
Что там, изморозь или гроза?
На глаза осторожной кошки
Похожи твои глаза.

О, как сердце мое тоскует!
Не смертного ль часа жду?
А та, что сейчас танцует,
Непременно будет в аду.

1 января 1913

17

* * *

После ветра и мороза было
Любо мне погреться у огня.
Там за сердцем я не уследила,
И его украли у меня.

Новогодний праздник длится пышно,
Влажны стебли новогодних роз,
А в груди моей уже не слышно
Трепетания стрекоз.

Ах! не трудно угадать мне вора,
Я его узнала по глазам.
Только страшно так, что скоро, скоро
Он вернет свою добычу сам.

1914

* * *

Настоящую нежность не спутаешь
Ни с чем, и она тиха.
Ты напрасно бережно кутаешь
Мне плечи и грудь в меха.
И напрасно слова покорные
Говоришь о первой любви.
Как я знаю эти упорные
Несытые взгляды твои!

1913

* * *

Проводила друга до передней,
Постояла в золотой пыли.
С колоколенки соседней
Звуки важные текли.
Брошена! Придуманное слово —
Разве я цветок или письмо?
А глаза глядят уже сурово
В потемневшее трюмо.

1913

* * *

Столько просьб у любимой всегда!
У разлюбленной просьб не бывает.
Как я рада, что нынче вода
Под бесцветным ледком замирает.

И я стану — Христос, помоги! —
На покров этот, светлый и ломкий,
А ты письма мои береги,
Чтобы нас рассудили потомки.

Чтоб отчетливей и ясней
Ты был виден им, мудрый и смелый.
В биографии славной твоей
Разве можно оставить пробелы?

Слишком сладко земное питье,
Слишком плотны любовные сети.
Пусть когда-нибудь имя мое
Прочитают в учебнике дети,

И, печальную повесть узнав,
Пусть они улыбнутся лукаво...
Мне любви и покоя не дав,
Подари меня горькою славой.

1913

* * *

Здравствуй! Легкий шелест слышишь
Справа от стола?
Этих строчек не допишешь —
Я к тебе пришла.
Неужели ты обидишь
Так, как в прошлый раз, —
Говоришь, что рук не видишь,
Рук моих и глаз.
У тебя светло и просто.
Не гони меня туда,
Где под душным сводом моста
Стынет грязная вода.

1913

* * *

Каждый день по-новому тревожен,
Все сильнее запах спелой ржи.
Если ты к ногам моим положен,
Ласковый, лежи.

Иволги кричат в широких кленах,
Их ничем до ночи не унять.
Любо мне от глаз твоих зеленых
Ос веселых отгонять.

На дороге бубенец зазвякал —
Памятен нам этот легкий звук.
Я спою тебе, чтоб ты не плакал,
Песенку о вечере разлук.

1913

* * *

Высокие своды костела
Синей, чем небесная твердь...
Прости меня, мальчик веселый,
Что я принесла тебе смерть —

За розы с площадки круглой,
За глупые письма твои,
За то, что, дерзкий и смуглый,
Мутно бледнел от любви.

Я думала: ты нарочно —
Как взрослые хочешь быть.
Я думала: томно-порочных
Нельзя, как невест, любить.

Но все оказалось напрасно.
Когда пришли холода,
Следил ты уже бесстрастно
За мной везде и всегда,

Как будто копил приметы
Моей нелюбви. Прости!
Зачем ты принял обеты
Страдальческого пути?

И смерть к тебе руки простерла...
Скажи, что было потом?

Я не знала, как хрупко горло
Под синим воротником.

Прости меня, мальчик веселый,
Совенок замученный мой!
Сегодня мне из костела
Так трудно уйти домой.

1913. Ноябрь

* * *

М. Лозинскому

Он длится без конца — янтарный, тяжкий день!
Как невозможна грусть, как тщетно ожиданье!
И снова голосом серебряным олень
В зверинце говорит о северном сиянье.
И я поверила, что есть прохладный снег
И синяя купель для тех, кто нищ и болен,
И санок маленьких такой неверный бег
Под звоны древние далеких колоколен.

1912

* * *

Я научилась просто, мудро жить,
Смотреть на небо и молиться Богу,
И долго перед вечером бродить,
Чтоб утомить ненужную тревогу.

Когда шуршат в овраге лопухи
И никнет гроздь рябины желто-красной,
Слагаю я веселые стихи
О жизни тленной, тленной и прекрасной.

Я возвращаюсь. Лижет мне ладонь
Пушистый кот, мурлыкает умильней,
И яркий загорается огонь
На башенке озерной лесопильни.

Лишь изредка прорезывает тишь
Крик аиста, слетевшего на крышу.
И если в дверь мою ты постучишь,
Мне кажется, я даже не услышу.

1912

* * *

Ты знаешь, я томлюсь в неволе,
О смерти Господа моля.
Но все мне памятна до боли
Тверская скудная земля.

Журавль у ветхого колодца,
Над ним, как кипень, облака,
В полях скрипучие воротца,
И запах хлеба, и тоска.

И те неяркие просторы,
Где даже голос ветра слаб,
И осуждающие взоры
Спокойных загорелых баб.

1913

* * *

Углем наметил на левом боку
Место, куда стрелять,
Чтоб выпустить птицу — мою тоску
В пустынную ночь опять.

Милый! не дрогнет твоя рука,
И мне недолго терпеть.
Вылетит птица — моя тоска,
Сядет на ветку и станет петь.

Чтоб тот, кто спокоен в своем дому,
Раскрывши окно, сказал:
«Голос знакомый, а слов не пойму», —
И опустил глаза.

1914

* * *

Ты письмо мое, милый, не комкай.
До конца его, друг, прочти.
Надоело мне быть незнакомкой,
Быть чужой на твоем пути.

Не гляди так, не хмурься гневно.
Я любимая, я твоя.
Не пастушка, не королевна
И уже не монашенка я —

В этом сером, будничном платье,
На стоптанных каблуках...
Но, как прежде, жгуче объятье,
Тот же страх в огромных глазах.

Ты письмо мое, милый, не комкай,
Не плачь о заветной лжи,
Ты его в твоей бедной котомке
На самое дно положи.

1912

* * *

Вечерние часы перед столом.
Непоправимо белая страница.
Мимоза пахнет Ниццей и теплом.
В луче луны летит большая птица.

И, туго косы на ночь заплетя,
Как будто завтра нужны будут косы,
В окно гляжу я, больше не грустя,
На море, на песчаные откосы.

Какую власть имеет человек,
Который даже нежности не просит!
Я не могу поднять усталых век,
Когда мое он имя произносит.

1913

* * *

Как вплелась в мои темные косы
Серебристая нежная прядь, —
Только ты, соловей безголосый,
Эту муку сумеешь понять.

Чутким ухом далекое слышишь
И на тонкие ветки ракит,
Весь нахохлившись, смотришь —

                         не дышишь, —
Если песня чужая звучит.

А еще так недавно, недавно
Замирали вокруг тополя,
И звенела и пела отравно
Несказанная радость твоя.

1912

* * *

Знаю, знаю — снова лыжи
Сухо заскрипят.
В синем небе месяц рыжий,
Луг так сладостно покат.

Во дворце горят окошки,
Тишиной удалены.
Ни тропинки, ни дорожки,
Только проруби темны.

Ива, дерево русалок,
Не мешай мне на пути!
В снежных ветках черных галок,
Черных галок приюти.

1913

* * *

Александру Блоку

Я пришла к поэту в гости.
Ровно полдень. Воскресенье.
Тихо в комнате просторной,
А за окнами мороз

И малиновое солнце
Над лохматым сизым дымом...
Как хозяин молчаливый
Ясно смотрит на меня!

У него глаза такие,
Что запомнить каждый должен;
Мне же лучше, осторожной,
В них и вовсе не глядеть.

Но запомнится беседа,
Дымный полдень, воскресенье,
В доме сером и высоком
У морских ворот Невы.

1914. Январь

ИЗ КНИГИ «БЕЛАЯ СТАЯ»

Горю и ночью дорога светла.

Анненский

* * *

Был он ревнивым, тревожным и нежным,
Как божье солнце, меня любил,
А чтобы она не запела о прежнем,
Он белую птицу мою убил.

Промолвил, войдя на закате в светлицу:
«Люби меня, смейся, пиши стихи!»
И я закопала веселую птицу
За круглым колодцем у старой ольхи.

Ему обещала, что плакать не буду.
Но каменным сделалось сердце мое,
И кажется мне, что всегда и повсюду
Услышу я сладостный голос ее.

1914

* * *

Потускнел на небе синий лак,
И слышнее песня окарины.
Это только дудочка из глины,
Не на что ей жаловаться так.
Кто ей рассказал мои грехи,
И зачем она меня прощает?..
Или этот голос повторяет
Мне твои последние стихи?

1912

* * *

Муза ушла по дороге,
Осенней, узкой, крутой,
И были смуглые ноги
Обрызганы крупной росой.

Я долго ее просила
Зимы со мной подождать,
Но сказала: «Ведь здесь могила,
Как ты можешь еще дышать?»

Я голубку ей дать хотела
Ту, что всех в голубятне белей,
Но птица сама полетела
За стройной гостьей моей.

Я, глядя ей вслед, молчала,
Я любила ее одну,
А в небе заря стояла,
Как ворота в ее страну.

1915

* * *

Я улыбаться перестала,
Морозный ветер губы студит,
Одной надеждой меньше стало,
Одною песней больше будет.
И эту песню я невольно
Отдам на смех и поруганье,
Затем, что нестерпимо больно
Душе любовное молчанье.

1915

* * *

Как ты можешь смотреть на Неву,
Как ты смеешь всходить на мосты?..
Я недаром печальной слыву
С той поры, как привиделся ты.
Черных ангелов крылья остры,
Скоро будет последний суд,
И малиновые костры,
Словно розы, в снегу цветут.

1914

* * *

Под крышей промерзшей пустого жилья
Я мертвенных дней не считаю,
Читаю посланья апостолов я,
Слова псалмопевца читаю.
Но звезды синеют, но иней пушист,
И каждая встреча чудесней, —
А в Библии красный кленовый лист
Заложен на Песни Песней.

1915

* * *

Чернеет дорога приморского сада,
Желты и свежи фонари.
Я очень спокойная. Только не надо
Со мною о нем говорить.
Ты милый и верный, мы будем друзьями...
Гулять, целоваться, стареть...
И легкие месяцы будут над нами,
Как снежные звезды, лететь.

1914

* * *

Господь немилостив к жнецам и садоводам.
Звеня, косые падают дожди
И, прежде небо отражавшим, водам
Пестрят широкие плащи.

В подводном царстве и луга и нивы,
А струи вольные поют, поют,
На взбухших ветках лопаются сливы,
И травы легшие гниют.

И сквозь густую водяную сетку
Я вижу милое твое лицо,
Притихший парк, китайскую беседку
И дома круглое крыльцо.

1915

ЦАРСКОСЕЛЬСКАЯ СТАТУЯ

Н. В. Н.

Уже кленовые листы
На пруд слетают лебединый,
И окровавлены кусты
Неспешно зреющей рябины,

И ослепительно стройна,
Поджав незябнущие ноги,
На камне северном она
Сидит и смотрит на дороги.

Я чувствовала смутный страх
Пред этой девушкой воспетой.
Играли на ее плечах
Лучи скудеющего света.

И как могла я ей простить
Восторг твоей хвалы влюбленной...
Смотри, ей весело грустить,
Такой нарядно обнаженной.

1916

Н. В. Н.

* * *

Все мне видится Павловск холмистый,
Круглый луг, неживая вода,
Самый томный и самый тенистый,
Ведь его не забыть никогда.

Как в ворота чугунные въедешь,
Тронет тело блаженная дрожь,
Не живешь, а ликуешь и бредишь
Иль совсем по-иному живешь.

Поздней осенью свежий и колкий
Бродит ветер, безлюдию рад.
В белом инее черные елки
На подтаявшем снеге стоят.

И, исполненный жгучего бреда,
Милый голос как песня звучит,
И на медном плече Кифареда
Красногрудая птичка сидит.

1915

* * *

Вновь подарен мне дремотой
Наш последний звездный рай —
Город чистых водометов,
Золотой Бахчисарай.

Там, за пестрою оградой,
У задумчивой воды,
Вспоминали мы с отрадой
Царскосельские сады,

И орла Екатерины
Вдруг узнали — это тот!
Он слетел на дно долины
С пышных бронзовых ворот.

Чтобы песнь прощальной боли
Дольше в памяти жила,
Осень смуглая в подоле
Красных листьев принесла

И посыпала ступени,
Где прощалась я с тобой
И откуда в царство тени
Ты ушел, утешный мой.

Севастополь, 1916

МАЙСКИЙ СНЕГ

Прозрачная ложится пелена
На свежий дерн и незаметно тает.
Жестокая, студеная весна
Налившиеся почки убивает.
И ранней смерти так ужасен вид,
Что не могу на божий мир глядеть я.
Во мне печаль, которой царь Давид
По-царски одарил тысячелетья.

1916

* * *

Бессмертник сух и розов. Облака
На свежем небе вылеплены грубо.
Единственного в этом парке дуба
Листва еще бесцветна и тонка.

Лучи зари до полночи горят.
Как хорошо в моем затворе тесном!
О самом нежном, о всегда чудесном
Со мной сегодня птицы говорят.

Я счастлива. Но мне всего милей
Лесная и пологая дорога,
Убогий мост, скривившийся немного,
И то, что ждать осталось мало дней.

1916
Слепнево

* * *

Зачем притворяешься ты
То ветром, то камнем, то птицей?
Зачем улыбаешься ты
Мне с неба внезапной зарницей?

Не мучь меня больше, не тронь!
Пусти меня к вещим заботам...
Шатается пьяный огонь
По высохшим серым болотам.

И Муза в дырявом платке
Протяжно поет и уныло.
В жестокой и юной тоске
Ее чудотворная сила.

1915
Слепнево

ИЮЛЬ 1914

I

Пахнет гарью. Четыре недели
Торф сухой по болотам горит.
Даже птицы сегодня не пели,
И осина уже не дрожит.

Стало солнце немилостью божьей,
Дождик с Пасхи полей не кропил.
Приходил одноногий прохожий
И один на дворе говорил:

«Сроки страшные близятся. Скоро
Станет тесно от свежих могил.
Ждите глада, и труса, и мора,
И затменья небесных светил.

Только нашей земли не разделит
На потеху себе супостат:
Богородица белый расстелет
Над скорбями великими плат».

II

Можжевельника запах сладкий
От горящих лесов летит.
Над ребятами стонут солдатки,
Вдовий плач по деревне звенит.

Не напрасно молебны служились,
О дожде тосковала земля:
Красной влагой тепло окропились
Затоптанные поля.

Низко, низко небо пустое,
И голос молящего тих:
«Ранят тело твое пресвятое,
Мечут жребий о ризах твоих».

20 июля 1914
Слепнево

МОЛИТВА

Дай мне горькие годы недуга,
Задыханья, бессонницу, жар,
Отыми и ребенка, и друга,
И таинственный песенный дар —
Так молюсь за твоей литургией
После стольких томительных дней,
Чтобы туча над темной Россией
Стала облаком в славе лучей.

1915

* * *

Ни в лодке, ни в телеге
Нельзя попасть сюда.
Стоит на гиблом снеге
Глубокая вода,
Усадьбу осаждает
Уже со всех сторон...
Ах! близко изнывает
Такой же Робинзон.
Пойдет взглянуть на сани,
На лыжи, на коня,
А после на диване
Сидит и ждет меня,
И шпорою короткой
Рвет коврик пополам.
Теперь улыбки кроткой
Не видеть зеркалам.

1916
Слепнево

* * *

Так раненого журавля
Зовут другие: курлы, курлы!
Когда осенние поля
И рыхлы, и теплы...

И я, больная, слышу зов,
Шум крыльев золотых
Из плотных низких облаков
И зарослей густых:

«Пора лететь, пора лететь
Над полем и рекой,
Ведь ты уже не можешь петь
И слезы со щеки стереть
Ослабнувшей рукой».

1915

* * *

Выбрала сама я долю
Другу сердца моего:
Отпустила я на волю
В Благовещенье его.
Да вернулся голубь сизый,
Бьется крыльями в стекло.
Как от блеска дивной ризы,
Стало в горнице светло.

1915

* * *

Перед весной бывают дни такие:
Под плотным снегом отдыхает луг,
Шумят деревья весело-сухие,
И теплый ветер нежен и упруг.
И легкости своей дивится тело,
И дома своего не узнаешь,
А песню ту, что прежде надоела,
Как новую, с волнением поешь.

1915

* * *

Широк и желт вечерний свет,
Нежна апрельская прохлада.
Ты опоздал на много лет,
Но все-таки тебе я рада.

Сюда ко мне поближе сядь,
Гляди веселыми глазами:
Вот эта синяя тетрадь —
С моими детскими стихами.

Прости, что я жила скорбя
И солнцу радовалась мало.
Прости, прости, что за тебя
Я слишком многих принимала.

1915

* * *

Я не знаю, ты жив или умер, —
На земле тебя можно искать
Или только в вечерней думе
По усопшем светло горевать.

Все тебе: и молитва дневная,
И бессонницы млеющий жар,
И стихов моих белая стая,
И очей моих синий пожар.

Мне никто сокровенней не был,
Так меня никто не томил,
Даже тот, кто на муку предал,
Даже тот, кто ласкал и забыл.

1915

* * *

Двадцать первое. Ночь. Понедельник.
Очертанья столицы во мгле.
Сочинил же какой-то бездельник,
Что бывает любовь на земле.

И от лености или со скуки
Все поверили, так и живут:
Ждут свиданий, боятся разлуки
И любовные песни поют.

Но иным открывается тайна,
И почиет на них тишина...
Я на это наткнулась случайно
И с тех пор все как будто больна.

1917

* * *

Да, я любила их, те сборища ночные, —
На маленьком столе стаканы ледяные,
Над черным кофеем пахучий, тонкий пар,
Камина красного тяжелый, зимний жар,
Веселость едкую литературной шутки
И друга первый взгляд, беспомощный
                                    и жуткий.

1917

* * *

Юнии Анреп

Судьба ли так моя переменилась,
Иль вправду кончена игра?
Где зимы те, когда я спать ложилась
В шестом часу утра?

По-новому, спокойно и сурово,
Живу на диком берегу.
Ни праздного, ни ласкового слова
Уже промолвить не могу.

Не верится, что скоро будут Святки.
Степь трогательно зелена.
Сияет солнце. Лижет берег гладкий
Как будто теплая волна.

Когда от счастья томной и усталой
Бывала я, то о такой тиши
С невыразимым трепетом мечтала
И вот таким себе я представляла
Посмертное блуждание души.

Севастополь
Декабрь 1916

У САМОГО МОРЯ

I

Бухты изрезали низкий берег,
Все паруса убежали в море,
А я сушила соленую косу
За версту от земли на плоском камне.
Ко мне приплывала зеленая рыба,
Ко мне прилетала белая чайка,
А я была дерзкой, злой и веселой
И вовсе не знала, что это — счастье.
В песок зарывала желтое платье,
Чтоб ветер не сдул, не унес бродяга,
И уплывала далеко в море,
На темных, теплых волнах лежала.
Когда возвращалась, маяк с востока
Уже сиял переменным светом,
И мне монах у ворот Херсонеса
Говорил: «Что ты бродишь ночью?»

Знали соседи — я чую воду,
И, если рыли новый колодец,
Звали меня, чтоб нашла я место
И люди напрасно не трудились.
Я собирала французские пули,
Как собирают грибы и чернику,
И приносила домой в подоле
Осколки ржавые бомб тяжелых.
И говорила сестре сердито:
«Когда я стану царицей,

Выстрою шесть броненосцев
И шесть канонерских лодок,
Чтобы бухты мои охраняли
До самого Фиолента».
А вечером перед кроватью
Молилась темной иконке,
Чтоб град не побил черешен,
Чтоб крупная рыба ловилась
И чтобы хитрый бродяга
Не заметил желтого платья.

Я с рыбаками дружбу водила.
Под опрокинутой лодкой часто
Во время ливня с ними сидела,
Про море слушала, запоминала,
Каждому слову тайно веря.
И очень ко мне рыбаки привыкли.
Если меня на пристани нету,
Старший за мною слал девчонку,
И та кричала: «Наши вернулись!
Нынче мы камбалу жарить будем».

Сероглаз был высокий мальчик,
На полгода меня моложе.
Он принес мне белые розы,
Мускатные белые розы,
И спросил меня кротко: «Можно
С тобой посидеть на камнях?»
Я смеялась: «На что мне розы?
Только колются больно!» — «Что же, —
Он ответил, — тогда мне делать,
Если так я в тебя влюбился».
И мне стало обидно: «Глупый!»
Я спросила: «Что ты — царевич?»

Это был сероглазый мальчик,
На полгода меня моложе.
«Я хочу на тебе жениться, —
Он сказал, — скоро стану взрослым
И поеду с тобой на север...»
Заплакал высокий мальчик,
Оттого что я не хотела
Ни роз, ни ехать на север.
Плохо я его утешала:
«Подумай, я буду царицей,
На что мне такого мужа?»
«Ну, тогда я стану монахом, —
Он сказал, — у вас в Херсонесе».
«Нет, не надо лучше: монахи
Только делают, что умирают.
Как придешь — одного хоронят,
А другие, знаешь, не плачут».

Ушел не простившись мальчик,
Унес мускатные розы,
И я его отпустила,
Не сказала: «Побудь со мною».
А тайная боль разлуки
Застонала белою чайкой
Над серой полынной степью,
Над пустынной, мертвой Корсунью.

II

Бухты изрезали низкий берег,
Дымное солнце упало в море.
Вышла цыганка из пещеры,
Пальцем меня к себе поманила:
«Что ты, красавица, ходишь боса?

Скоро веселой, богатой станешь.
Знатного гостя жди до Пасхи,
Знатному гостю кланяться будешь;
Ни красотой твоей, ни любовью, —
Песней одною гостя приманишь».
Я отдала цыганке цепочку
И золотой крестильный крестик.
Думала радостно: «Вот он, милый,
Первую весть о себе мне подал».

Но от тревоги я разлюбила
Все мои бухты и пещеры;
Я в камыше гадюк не пугала,
Крабов на ужин не приносила,
А уходила по южной балке
За виноградники в каменоломню, —
Туда не короткой была дорога.
И часто случалось, что хозяйка
Хутора нового мне кивала,
Кликала издали: «Что не заходишь?
Все говорят — ты приносишь счастье».
Я отвечала: «Приносят счастье
Только подковы да новый месяц,
Если он справа в глаза посмотрит».
В комнаты я входить не любила.

Дули с востока сухие ветры,
Падали с неба крупные звезды,
В нижней церкви служили молебны
О моряках, уходящих в море,
И заплывали в бухты медузы, —
Словно звезды, упавшие за ночь,
Глубоко под водой голубели.
Как журавли курлыкают в небе,

Как беспокойно трещат цикады,
Как о печали поет солдатка,
Все я запомнила чутким слухом,
Да только песни такой не знала,
Чтобы царевич со мной остался.
Девушка стала мне часто сниться
В узких браслетах, в коротком платье,
С дудочкой белой в руках прохладных.
Сядет, спокойная, долго смотрит,
И о печали моей не спросит,
И о печали своей не скажет,
Только плечо мое нежно гладит.
Как же царевич меня узнает,
Разве он помнит мои приметы?
Кто ему дом наш старый укажет?
Дом наш совсем вдали от дороги.

Осень сменилась зимой дождливой,
В комнате белой от окон дуло,
И плющ мотался по стенке сада.
Приходили на двор чужие собаки,
Под окошком моим до рассвета выли.
Трудное время для сердца было.
Так я шептала, на двери глядя:
«Боже, мы мудро царствовать будем,
Строить над морем большие церкви
И маяки высокие строить.
Будем беречь мы воду и землю,
Мы никого обижать не станем».

III

Вдруг подобрело темное море,
Ласточки в гнезда свои вернулись,

И сделалась красной земля от маков,
И весело стало опять на взморье.
За ночь одну наступило лето, —
Так мы весны и не видали.
И я совсем перестала бояться,
Что новая доля минет.
А вечером в Вербную субботу,
Из церкви придя, я сестре сказала:
«На́ тебе свечку мою и четки,
Библию нашу дома оставлю.
Через неделю настанет Пасха,
И мне давно пора собираться, —
Верно, царевич уже в дороге,
Морем за мной он сюда приедет».
Молча сестра на слова дивилась,
Только вздохнула, помнила, верно,
Речи цыганкины у пещеры.
«Он привезет тебе ожерелье
И с голубыми камнями кольца?»
«Нет, — я сказала, — мы не знаем,
Какой он подарок мне готовит».

Были мы с сестрой однолетки
И так друг на друга похожи,
Что маленьких нас различала
Только по родинкам наша мама.
С детства сестра ходить не умела,
Как восковая кукла лежала;
Ни на кого она не сердилась
И вышивала плащаницу,
Бредила даже во сне работой;

Слышала я, как она шептала:
«Плащ Богородицы будет синим...
Боже, апостолу Иоанну
Жемчужин для слез достать мне негде...

Дворик зарос лебедой и мятой,
Ослик щипал траву у калитки,
И на соломенном длинном кресле
Лена лежала, раскинув руки,
Все о работе своей скучала, —
В праздник такой грешно трудиться.
И приносил к нам соленый ветер
Из Херсонеса звон пасхальный.
Каждый удар отдавался в сердце,
С кровью по жилам растекался.
«Леночка, — я сестре сказала, —
Я ухожу сейчас на берег.
Если царевич за мной приедет,
Ты объясни ему дорогу.
Пусть он меня в степи нагонит:
Хочется нá море мне сегодня».
«Где же ты песенку услыхала,
Ту, что царевича приманит? —
Глаза приоткрыв, сестра спросила. —
В городе ты совсем не бываешь,
А здесь поют не такие песни».
К самому уху ее склонившись,
Я прошептала: «Знаешь, Лена,
Ведь я сама придумала песню,
Лучше которой нет на свете».
И не поверила мне и долго,
Долго с упреком она молчала.

IV

Солнце лежало на дне колодца,
Грелись на камнях сколопендры,
И убегало перекати-поле,
Словно паяц горбатый кривляясь,
А высоко взлетевшее небо,
Как Богородицын плащ, синело, —
Прежде оно таким не бывало.
Легкие яхты с полдня гонялись,
Белых бездельниц столпилось много
У Константиновской батареи, —
Видно, им ветер нынче удобный.
Тихо прошла я вдоль бухты к мысу,
К черным, разломанным, острым скалам,
Пеной покрытым в часы прибоя,
И повторяла новую песню.
Знала я: с кем бы царевич ни был,
Слышит он голос мой, смутившись, —
И оттого мне каждое слово,
Как божий подарок, было мило.
Первая яхта не шла — летела,
И догоняла ее вторая,
А остальные едва виднелись.

Как я легла у воды — не помню,
Как задремала тогда — не знаю,
Только очнулась и вижу: парус
Близко полощется. Передо мною,
По пояс стоя в воде прозрачной,
Шарит руками старик огромный
В щелях глубоких скал прибрежных,

Голосом хриплым зовет на помощь.
Громко я стала читать молитву,
Как меня маленькую учили,
Чтобы мне страшное не приснилось,
Чтоб в нашем доме бед не бывало.
Только я молвила: «Ты Хранитель!» —
Вижу — в руках старика белеет
Что-то, и сердце мое застыло...
Вынес моряк того, кто правил
Самой веселой, крылатой яхтой,
И положил на черные камни.

Долго я верить себе не смела,
Пальцы кусала, чтобы очнуться:
Смуглый и ласковый мой царевич
Тихо лежал и глядел на небо.
Эти глаза, зеленее моря
И кипарисов наших темнее, —
Видела я, как они погасли...
Лучше бы мне родиться слепою.
Он застонал и невнятно крикнул:
«Ласточка, ласточка, как мне больно!»
Верно, я птицей ему показалась.

В сумерки я домой вернулась.
В комнате темной было тихо,
И над лампадкой стоял высокий,
Узкий малиновый огонечек.
«Не приходил за тобой царевич, —
Лена сказала, шаги услышав, —
Я прождала его до вечерни
И посылала детей на пристань».
«Он никогда не придет за мною,
Он никогда не вернется, Лена.

Умер сегодня мой царевич».
Долго и часто сестра крестилась;
Вся повернувшись к стене, молчала.
Я догадалась, что Лена плачет.

Слышала я — над царевичем пели:
«Христос воскресе из мертвых», —
И несказанным светом сияла
Круглая церковь.

1914

ИЗ КНИГИ «ПОДОРОЖНИК»

> Узнай, по крайней мере, звуки,
> Бывало, милые тебе.
>
> *Пушкин*

* * *

Просыпаться на рассвете
Оттого, что радость душит,
И глядеть в окно каюты
На зеленую волну,
Иль на палубе в ненастье,
В мех закутавшись пушистый,
Слушать, как стучит машина,
И не думать ни о чем,
Но, предчувствуя свиданье
С тем, кто стал моей звездою,
От соленых брызг и ветра
С каждым часом молодеть.

1917

* * *

Ты всегда таинственный и новый,
Я тебе послушней с каждым днем.
Но любовь твоя, о друг суровый,
Испытание железом и огнем.

Запрещаешь петь и улыбаться,
А молиться запретил давно.
Только б мне с тобою не расстаться,
Остальное все равно!

Так, земле и небесам чужая,
Я живу и больше не пою,
Словно ты у ада и у рая
Отнял душу вольную мою.

1917. Декабрь

* * *

Я слышу иволги всегда печальный голос
И лета пышного приветствую ущерб,
А к колосу прижатый тесно колос
С змеиным свистом срезывает серп.

И стройных жниц короткие подолы,
Как флаги в праздник, по ветру летят.
Теперь бы звон бубенчиков веселых,
Сквозь пыльные ресницы долгий взгляд.

Не ласки жду я, не любовной лести
В предчувствии неотвратимой тьмы,
Но приходи взглянуть на рай, где вместе
Блаженны и невинны были мы.

1917
Слепнево

* * *

И вот одна осталась я
Считать пустые дни.
О вольные мои друзья,
О лебеди мои!

И песней я не скличу вас,
Слезами не верну.
Но вечером в печальный час
В молитве помяну.

Настигнут смертною стрелой,
Один из вас упал,
И черным вороном другой,
Меня целуя, стал.

Но так бывает: раз в году,
Когда растает лед,
В Екатеринином саду
Стою у чистых вод

И слышу плеск широких крыл
Над гладью голубой.
Не знаю, кто окно раскрыл
В темнице гробовой.

1917

* * *

Теперь никто не станет слушать песен.
Предсказанные наступили дни.
Моя последняя, мир больше не чудесен,
Не разрывай мне сердца, не звени.

Еще недавно ласточкой свободной
Свершала ты свой утренний полет,
А ныне станешь нищенкой голодной,
Не достучишься у чужих ворот.

1917

* * *

По твердому гребню сугроба
В твой белый, таинственный дом
Такие притихшие оба
В молчании нежном идем.
И слаще всех песен пропетых
Мне этот исполненный сон,
Качание веток задетых
И шпор твоих легонький звон.

Январь 1917

***

Течет река неспешно по долине,
Многооконный на пригорке дом.
А мы живем как при Екатерине:
Молебны служим, урожая ждем.
Перенеся двухдневную разлуку,
К нам едет гость вдоль нивы золотой,
Целует бабушке в гостиной руку
И губы мне на лестнице крутой.

Лето 1917

* * *

На шее мелких четок ряд,
В широкой муфте руки прячу,
Глаза рассеянно глядят
И больше никогда не плачут.

И кажется лицо бледней
От лиловеющего шелка,
Почти доходит до бровей
Моя незавитая челка.

И непохожа на полет
Походка медленная эта,
Как будто под ногами плот,
А не квадратики паркета.

А бледный рот слегка разжат,
Неровно трудное дыханье,
И на груди моей дрожат
Цветы небывшего свиданья.

1913

* * *

Ты мог бы мне сниться и реже,
Ведь часто встречаемся мы,
Но грустен, взволнован и нежен
Ты только в святилище тьмы.
И слаще хвалы серафима
Мне губ твоих милая лесть...
О, там ты не путаешь имя
Мое. Не вздыхаешь, как здесь.

1914

* * *

Мне голос был. Он звал утешно,
Он говорил: «Иди сюда,
Оставь свой край глухой и грешный,
Оставь Россию навсегда.
Я кровь от рук твоих отмою,
Из сердца выну черный стыд,
Я новым именем покрою
Боль поражений и обид».

Но равнодушно и спокойно
Руками я замкнула слух,
Чтоб этой речью недостойной
Не осквернился скорбный дух.

Осень 1917

ИЗ КНИГИ «ANNO DOMINI»

В те баснословные года...

Тютчев

БЕЖЕЦК

Там белые церкви и звонкий, светящийся лед,
Там милого сына цветут васильковые очи.
Над городом древним алмазные русские ночи
И серп поднебесный желтее, чем липовый мед.
Там строгая память, такая скупая теперь,
Свои терема мне открыла с глубоким поклоном;
Но я не вошла, я захлопнула страшную дверь...
И город был полон веселым рождественским
                                        звоном.

26 декабря 1921

* * *

Не с теми я, кто бросил землю
На растерзание врагам.
Их грубой лести я не внемлю,
Им песен я своих не дам.

Но вечно жалок мне изгнанник,
Как заключенный, как больной.
Темна твоя дорога, странник.
Полынью пахнет хлеб чужой.

А здесь, в глухом чаду пожара
Остаток юности губя,
Мы ни единого удара
Не отклонили от себя.

И знаем, что в оценке поздней
Оправдан будет каждый час...
Но в мире нет людей бесслезней,
Надменнее и проще нас.

1922

* * *

Веет ветер лебединый,
Небо синее в крови.
Наступают годовщины
Первых дней твоей любви.

Ты мои разрушил чары,
Годы плыли, как вода.
Отчего же ты не старый,
А такой, как был тогда?

Даже звонче голос нежный.
Только времени крыло
Осенило славой снежной
Безмятежное чело.

1922

* * *

Заболеть бы как следует, в жгучем бреду
Повстречаться со всеми опять,
В полном ветра и солнца приморском саду
По широким аллеям гулять.

Даже мертвые нынче согласны прийти,
И изгнанники в доме моем.
Ты ребенка за ручку ко мне приведи,
Так давно я скучаю о нем.

Буду с милыми есть голубой виноград,
Буду пить ледяное вино
И глядеть, как струится седой водопад
На кремнистое влажное дно.

1922

* * *

Сослужу тебе верную службу, —
Ты не бойся, что горько люблю!
Я за нашу веселую дружбу
Всех святителей нынче молю.

За тебя отдала первородство
И взамен ничего не прошу,
Оттого и лохмотья сиротства
Я, как брачные ризы, ношу.

1921

* * *

Кое-как удалось разлучиться
И постылый огонь потушить.
Враг мой вечный, пора научиться
Вам кого-нибудь вправду любить.

Я-то вольная. Все мне забава, —
Ночью Муза слетит утешать,
А наутро притащится слава
Погремушкой над ухом трещать.

Обо мне и молиться не стоит
И, уйдя, оглянуться назад...
Черный ветер меня успокоит,
Веселит золотой листопад.

Как подарок, приму я разлуку
И забвение, как благодать.
Но, скажи мне, на крестную муку
Ты другую посмеешь послать?

1921

* * *

А, ты думал — я тоже такая,
Что можно забыть меня
И что брошусь, моля и рыдая,
Под копыта гнедого коня.

Или стану просить у знахарок
В наговорной воде корешок
И пришлю тебе страшный подарок —
Мой заветный душистый платок.

Будь же проклят. Ни стоном, ни взглядом
Окаянной души не коснусь,
Но клянусь тебе ангельским садом,
Чудотворной иконой клянусь
И ночей наших пламенных чадом —
Я к тебе никогда не вернусь.

1921

* * *

Пусть голоса органа снова грянут,
Как первая весенняя гроза:
Из-за плеча твоей невесты глянут
Мои полузакрытые глаза.

Прощай, прощай, будь счастлив, друг
                              прекрасный,
Верну тебе твой сладостный обет,
Но берегись твоей подруге страстной
Поведать мой неповторимый бред, —

Затем что он пронижет жгучим ядом
Ваш благостный, ваш радостный союз...
А я иду владеть чудесным садом,
Где шелест трав и восклицанья муз.

1921

* * *

А Смоленская нынче именинница,
Синий ладан над травою стелется,
И струится пенье панихидное,
Не печальное нынче, а светлое.
И приводят румяные вдовушки
На кладбище мальчиков и девочек
Поглядеть на могилы отцовские,
А кладбище — роща соловьиная,
От сиянья солнечного замерло.
Принесли мы Смоленской заступнице,
Принесли Пресвятой Богородице
На руках во гробе серебряном
Наше солнце, в му́ке погасшее, —
Александра, лебедя чистого.

1921

* * *

Не бывать тебе в живых,
Со снегу не встать.
Двадцать восемь штыковых,
Огнестрельных пять.

Горькую обновушку
Другу шила я.
Любит, любит кровушку
Русская земля.

1921

* * *

Долгим взглядом твоим истомленная,
И сама научилась томить.
Из ребра твоего сотворенная,
Как могу я тебя не любить?

Быть твоею сестрою отрадною
Мне завещано древней судьбой,
А я стала лукавой и жадною
И сладчайшей твоею рабой.

Но когда замираю, смиренная,
На груди твоей снега белей,
Как ликует твое умудренное
Сердце — солнце отчизны моей!

1921

* * *

Почернел, искривился бревенчатый мост,
И стоят лопухи в человеческий рост,
И крапивы дремучей поют леса,
Что по ним не пройдет, не блеснет коса.
Вечерами над озером слышен вздох,
И по стенам расползся корявый мох.

Я встречала там
Двадцать первый год.
Сладок был устам
Черный душный мед.

Сучья рвали мне
Платья белый шелк,
На кривой сосне
Соловей не молк.

На условный крик
Выйдет из норы,
Словно леший дик,
А нежней сестры.

На гору бегом,
Через речку вплавь,
Да зато потом
Не скажу: оставь.

1917

ПРИЗРАК

Зажженных рано фонарей
Шары висячие скрежещут,
Все праздничнее, все светлей
Снежинки, пролетая, блещут.

И, ускоряя ровный бег,
Как бы в предчувствии погони,
Сквозь мягко падающий снег
Под синей сеткой мчатся кони.

И раззолоченный гайдук
Стоит недвижно за санями,
И странно царь глядит вокруг
Пустыми светлыми глазами.

1919

* * *

Буду черные грядки холить,
Ключевой водой поливать;
Полевые цветы на воле,
Их не надо трогать и рвать.

Пусть их больше, чем звезд зажженных
В сентябрьских небесах —
Для детей, для бродяг, для влюбленных
Вырастают цветы на полях.

А мои — для святой Софии
В тот единственный светлый день,
Когда возгласы литургии
Возлетят под дивную сень.

И, как волны приносят на сушу
То, что сами на смерть обрекли,
Принесу покаянную душу
И цветы из Русской земли.

Лето 1916
Слепнево

ЭПИЧЕСКИЕ МОТИВЫ

> Я пою, и лес зеленеет.
>
> *Б. А.*

1

В то время я гостила на земле.
Мне дали имя при крещенье — Анна,
Сладчайшее для губ людских и слуха.
Так дивно знала я земную радость
И праздников считала не двенадцать,
А столько, сколько было дней в году.
Я, тайному велению покорна,
Товарища свободного избрав,
Любила только солнце и деревья.
Однажды поздним летом иностранку
Я встретила в лукавый час зари,
И вместе мы купались в теплом море,
Ее одежда странной мне казалась,
Еще страннее — губы, а слова —
Как звезды падали сентябрьской ночью.
И, стройная, меня учила плавать,
Одной рукой поддерживая тело
Неопытное на тугих волнах.
И часто, стоя в голубой воде,
Она со мной неспешно говорила,
И мне казалось, что вершины леса
Слегка шумят, или хрустит песок,
Иль голосом серебряным волынка
Вдали поет о вечере разлук.
Но слов ее я помнить не могла
И часто ночью с болью просыпалась.
Мне чудился полуоткрытый рот,

Ее глаза и гладкая прическа.
Как вестника небесного, молила
Я девушку печальную тогда:
«Скажи, скажи, зачем угасла память
И, так томительно лаская слух,
Ты отняла блаженство повторенья?..»
И только раз, когда я виноград
В плетеную корзинку собирала,
А смуглая сидела на траве,
Глаза закрыв и распустивши косы,
И томною была и утомленной
От запаха тяжелых синих ягод
И пряного дыханья дикой мяты, —
Она слова чудесные вложила
В сокровищницу памяти моей,
И, полную корзину уронив,
Припала я к земле сухой и душной,
Как к милому, когда поет любовь.

1913. Осень

2

Покинув рощи родины священной
И дом, где Муза Плача изнывала,
Я, тихая, веселая, жила
На низком острове, который, словно плот,
Остановился в пышной невской дельте.
О, зимние таинственные дни,
И милый труд, и легкая усталость,
И розы в умывальном кувшине!
Был переулок снежным и недлинным.
И против двери к нам стеной алтарной

Воздвигнут храм святой Екатерины.
Как рано я из дома выходила,
И часто по нетронутому снегу
Свои следы вчерашние напрасно
На бледной, чистой пелене ища,
И вдоль реки, где шхуны, как голубки,
Друг к другу нежно, нежно прижимаясь,
О сером взморье до весны тоскуют, —
Я подходила к старому мосту.
Там комната, похожая на клетку,
Под самой крышей в грязном, шумном доме,
Где он, как чиж, свистал перед мольбертом,
И жаловался весело, и грустно
О радости небывшей говорил.
Как в зеркало, глядела я тревожно
На серый холст, и с каждою неделей
Все горше и страннее было сходство
Мое с моим изображеньем новым.
Теперь не знаю, где художник милый,
С которым я из голубой мансарды
Через окно на крышу выходила
И по карнизу шла над смертной бездной,
Чтоб видеть снег, Неву и облака, —
Но чувствую, что Музы наши дружны
Беспечной и пленительною дружбой,
Как девушки, не знавшие любви.

3

Смеркается, и в небе темно-синем,
Где так недавно храм Ерусалимский
Таинственным сиял великолепьем,
Лишь две звезды над путаницей веток,

И снег летит откуда-то не сверху,
А словно подымается с земли,
Ленивый, ласковый и осторожный.
Мне странною в тот день была прогулка.
Когда я вышла, ослепил меня
Прозрачный отблеск на вещах и лицах,
Как будто всюду лепестки лежали
Тех желто-розовых некрупных роз,
Название которых я забыла.
Безветренный, сухой, морозный воздух
Так каждый звук лелеял и хранил,
Что мнилось мне: молчанья не бывает.
И на мосту, сквозь ржавые перила
Просовывая руки в рукавичках,
Кормили дети пестрых жадных уток,
Что кувыркались в проруби чернильной.
И я подумала: не может быть,
Чтоб я когда-нибудь забыла это.
И если трудный путь мне предстоит,
Вот легкий груз, который мне под силу
С собою взять, чтоб в старости, в болезни,
Быть может, в нищете — припоминать
Закат неистовый, и полноту
Душевных сил, и прелесть милой жизни.

1914—1916

* * *

Тебе покорной? Ты сошел с ума!
Покорна я одной Господней воле.
Я не хочу ни трепета, ни боли,
Мне муж — палач, а дом его — тюрьма.

Но видишь ли! Ведь я пришла сама;
Декабрь рождался, ветры выли в поле,
И было так светло в твоей неволе,
А за окошком сторожила тьма.

Так птица о прозрачное стекло
Всем телом бьется в зимнее ненастье,
И кровь пятнает белое крыло.

Теперь во мне спокойствие и счастье.
Прощай, мой тихий, ты мне вечно мил
За то, что в дом свой странницу пустил.

1921

ИЗ КНИГИ «ТРОСТНИК»

Я играю в них во всех пяти.

Б. П.

НАДПИСЬ НА КНИГЕ

М. Лозинскому

Почти от залетейской тени
В тот час, как рушатся миры,
Примите этот дар весенний
В ответ на лучшие дары,
Чтоб та, над временами года,
Несокрушима и верна,
Души высокая свобода,
Что дружбою наречена, —
Мне улыбнулась так же кротко,
Как тридцать лет тому назад...
И сада Летнего решетка,
И оснеженный Ленинград
Возникли, словно в книге этой
Из мглы магических зеркал,
И над задумчивою Летой
Тростник оживший зазвучал.

Май 1940

МУЗА

Когда я ночью жду ее прихода,
Жизнь, кажется, висит на волоске.
Что́ почести, что́ юность, что́ свобода
Пред милой гостьей с дудочкой в руке.
И вот вошла. Откинув покрывало,
Внимательно взглянула на меня.
Ей говорю: «Ты ль Данту диктовала
Страницы Ада?» Отвечает: «Я».

1924

* * *

Небывалая осень построила купол высокий,
Был приказ облакам этот купол собой не темнить.
И дивилися люди: проходят сентябрьские сроки,
А куда провалились студеные, влажные дни?
Изумрудною стала вода замутненных каналов,
И крапива запахла, как розы, но только сильней.
Было душно от зорь, нестерпимых, бесовских и алых,
Их запомнили все мы до конца наших дней.
Было солнце таким, как вошедший в столицу
                                   мятежник,
И весенняя осень так жадно ласкалась к нему,
Что казалось — сейчас забелеет
                         прозрачный подснежник...
Вот когда подошел ты, спокойный, к крыльцу
                                   моему.

1922

* * *

Хорошо здесь: и шелест и хруст;
С каждым утром сильнее мороз,
В белом пламени клонится куст
Ледяных ослепительных роз.
И на пышных парадных снегах
Лыжный след, словно память о том,
Что в каких-то далеких веках
Здесь с тобою прошли мы вдвоем.

1922

* * *

Тот город, мной любимый с детства,
В его декабрьской тишине
Моим промотанным наследством
Сегодня показался мне.

Все, что само давалось в руки,
Что было так легко отдать:
Душевный жар, молений звуки
И первой песни благодать —

Все унеслось прозрачным дымом,
Истлело в глубине зеркал...
И вот уж о невозвратимом
Скрипач безносый заиграл.

Но с любопытством иностранки,
Плененной каждой новизной,
Глядела я, как мчатся санки,
И слушала язык родной.

И дикой свежестью и силой
Мне счастье веяло в лицо,
Как будто друг от века милый
Всходил со мною на крыльцо.

1929

БОРИС ПАСТЕРНАК

Он, сам себя сравнивший с конским глазом,
Косится, смотрит, видит, узнает,
И вот уже расплавленным алмазом
Сияют лужи, изнывает лед.

В лиловой мгле покоятся задворки,
Платформы, бревна, листья, облака.
Свист паровоза, хруст арбузной корки,
В душистой лайке робкая рука.

Звенит, гремит, скрежещет, бьет прибоем
И вдруг притихнет, — это значит, он
Пугливо пробирается по хвоям,
Чтоб не спугнуть пространства чуткий сон.

И это значит, он считает зерна
В пустых колосьях, это значит, он
К плите дарьяльской, проклятой и черной,
Опять пришел с каких-то похорон.

И снова жжет московская истома,
Звенит вдали смертельный бубенец...
Кто заблудился в двух шагах от дома,
Где снег по пояс и всему конец?

За то, что дым сравнил с Лаокооном,
Кладбищенский воспел чертополох,

За то, что мир наполнил новым звоном
В пространстве новом отраженных строф, —

Он награжден каким-то вечным детством,
Той щедростью и зоркостью светил,
И вся земля была его наследством,
А он ее со всеми разделил.

19 января 1936

* * *

Годовщину последнюю празднуй —
Ты пойми, что сегодня точь-в-точь
Нашей первой зимы — той, алмазной —
Повторяется снежная ночь.

Пар валит из-под царских конюшен,
Погружается Мойка во тьму,
Свет луны, как нарочно, притушен,
И куда мы идем — не пойму.

Меж гробницами внука и деда
Заблудился взъерошенный сад,
Из тюремного вынырнув бреда,
Фонари погребально горят.

В грозных айсбергах Марсово поле,
И Лебяжья лежит в хрусталях...
Чья с моею сравняется доля,
Если в сердце веселье и страх,

И трепещет, как дивная птица,
Голос твой у меня над плечом.
И внезапным согретый лучом
Снежный прах так тепло серебрится.

1938

ИВА

И дряхлый пук дерев.

Пушкин

А я росла в узорной тишине.
В прохладной детской молодого века.
И не был мил мне голос человека,
А голос ветра был понятен мне.
Я лопухи любила и крапиву,
Но больше всех серебряную иву.
И, благодарная, она жила
Со мной всю жизнь, плакучими ветвями
Бессонницу овеивала снами.
И — странно! — я ее пережила.
Там пень торчит, чужими голосами
Другие ивы что-то говорят
Под нашими, под теми небесами.
И я молчу... Как будто умер брат.

1940

1916 ГОД

Как я люблю пологий склон зимы,
Ее огни, и мраки, и истому,
Сухого снега круглые холмы
И чувство, что вовек не будешь дома.
Черна вдали рождественская ель,
Кричит ворона, кончилась метель.

И рушилась твердыня Эрзерума,
Кровь заливала горло Дарданелл...
Но в этом парке не слыхали шума,
Хор за обедней так прекрасно пел;
Но в этом парке тихо и угрюмо
Сияет месяц, снег алмазно бел.

Прикинувшись солдаткой, выло горе,
Как конь, вставал дредноут на дыбы,
И ледяные пенные столбы
Взбешенное выбрасывало море —
До звезд нетленных — из груди своей,
И не считали умерших людей...

На Белой башне дремлет пулемет,
Вокруг дворца гусарские разъезды,
Внимательные северные звезды
(Совсем не то, что будет через год),
Прищурившись, глядят в окно Лицея,
Где тень Его над томом Апулея.

1924

ТРЕТИЙ ЗАЧАТЬЕВСКИЙ

Переулочек, переул...
Горло петелькой затянул.

Тянет свежесть с Москвы-реки.
В окнах теплятся огоньки.

Покосился гнилой фонарь —
С колокольни идет звонарь...

Как по левой руке пустырь,
А по правой руке монастырь.

А напротив высокий клен
Красным заревом обагрен.

А напротив высокий клен
Ночью слушает долгий стон:

Мне бы тот найти образок,
Оттого что мой близок срок,

Мне бы снова мой черный платок,
Мне бы невской воды глоток.

1940

НАДПИСЬ НА КНИГЕ
«ПОДОРОЖНИК»

Совсем не тот таинственный художник,
Избороздивший Гофмановы сны, —
Из той далекой и чужой весны
Мне чудится смиренный подорожник.

Он всюду рос, им город зеленел,
Он украшал широкие ступени,
И с факелом свободных песнопений
Психея возвращалась в мой придел.

А в глубине четвертого двора
Под деревом плясала детвора
В восторге от шарманки одноногой,

И била жизнь во все колокола...
А бешеная кровь меня к тебе вела
Сужденной всем, единственной дорогой.

1941

ПУТЕМ ВСЕЯ ЗЕМЛИ

> В санях сидя, отправляясь
> путем всея земли...
>
> *Поучение*
> *Владимира Мономаха детям*

1

Прямо под ноги пулям,
Расталкивая года,
По январям и июлям
Я проберусь туда...
Никто не увидит ранку,
Крик не услышит мой,
Меня, китежанку,
Позвали домой.
И гнались за мною
Сто тысяч берёз,
Стеклянной стеною
Струился мороз.
У давних пожарищ
Обугленный склад.
«Вот пропуск, товарищ,
Пустите назад...»
И воин спокойно
Отводит штык.
Как пышно и знойно
Тот остров возник!
И красная глина,
И яблочный сад...
Из аквамарина
Пылает закат.
Тропиночка круто
Взбиралась, дрожа.

112

Мне надо кому-то
Здесь руку пожать...
Но хриплой шарманки
Не слушаю стон.
Не тот китежанке
Послышался звон.

2

Окопы, окопы, —
Заблудишься тут!
От старой Европы
Остался лоскут,
Где в облаке дыма
Горят города...
И вот уже Крыма
Темнеет гряда.
Я плакальщиц стаю
Веду за собой.
О, тихого края
Плащ голубой!..
Над мертвой медузой
Смущенно стою;
Здесь встретилась с Музой,
Ей клятву даю.
Но громко смеется,
Не верит: «Тебе ль?»
По капелькам льется
Душистый апрель.
И вот уже славы
Высокий порог,
Но голос лукавый
Предостерег:

«Сюда ты вернешься,
Вернешься не раз,
Но снова споткнешься
О крепкий алмаз.
Ты лучше бы мимо,
Ты лучше б назад,
Хулима, хвалима,
В отеческий сад».

3

Вечерней порою
Сгущается мгла.
Пусть Гофман со мною
Дойдет до угла.
Он знает, как гулок
Задушенный крик
И чей в переулок
Забрался двойник.
Ведь это не шутки,
Что двадцать пять лет
Мне видится жуткий
Один силуэт.
«Так, значит, направо?
Вот здесь, за углом?
Спасибо!» — Канава
И маленький дом.
Не знала, что месяц
Во всё посвящен.
С веревочных лестниц
Срывается он,
Спокойно обходит
Покинутый дом,
Где ночь на исходе

За круглым столом
Гляделась в обломок
Разбитых зеркал
И в груде потемок
Зарезанный спал.

4

Чистейшего звука
Высокая власть,
Как будто разлука
Натешилась всласть.
Знакомые зданья
Из смерти глядят —
И будет свиданье
Печальней стократ
Всего, что когда-то
Случилось со мной...
За новой утратой
Иду я домой.

5

Черемуха мимо
Прокралась, как сон
И кто-то «Цусима!»
Сказал в телефон.
Скорее, скорее —
Кончается срок:
«Варяг» и «Кореец»
Пошли на восток...
Там ласточкой реет
Старая боль...
А дальше темнеет

Форт Шаброль,
Как прошлого века
Разрушенный склеп,
Где старый калека
Оглох и ослеп.
Суровы и хмуры,
Его сторожат
С винтовками буры.
«Назад, назад!!»

6

Великую зиму
Я долго ждала,
Как белую схиму,
Ее приняла.
И в легкие сани
Спокойно сажусь...
Я к вам, китежане,
До ночи вернусь.
За древней стоянкой
Один переход...
Теперь с китежанкой
Никто не пойдет,
Ни брат, ни соседка,
Ни первый жених, —
Лишь хвойная ветка
Да солнечный стих,
Оброненный нищим
И поднятый мной...
В последнем жилище
Меня упокой.

Фонтанный Дом
Март 1940

РЕКВИЕМ
1935—1940

Вместо предисловия

В страшные годы ежовщины я провела семнадцать месяцев в тюремных очередях. Как-то раз кто-то «опознал» меня. Тогда стоящая за мной женщина с голубыми губами, которая, конечно, никогда не слыхала моего имени, очнулась от свойственного нам всем оцепенения и спросила меня на ухо (там все говорили шепотом):

— А это вы можете описать?

И я сказала:

— Могу.

Тогда что-то вроде улыбки скользнуло по тому, что некогда было ее лицом.

1 апреля 1957 года
Ленинград

Нет, и не под чуждым небосводом,
И не под защитой чуждых крыл —
Я была тогда с моим народом,
Там, где мой народ, к несчастью, был.

1961

ПОСВЯЩЕНИЕ

Перед этим горем гнутся горы,
Не течет великая река.
Но крепки тюремные затворы,
А за ними «каторжные норы»

И смертельная тоска.
Для кого-то веет ветер свежий,
Для кого-то нежится закат —
Мы не знаем, мы повсюду те же,
Слышим лишь ключей постылый скрежет
Да шаги тяжелые солдат.
Поднимались, как к обедне ранней,
По столице одичалой шли,
Там встречались, мертвых бездыханней,
Солнце ниже и Нева туманней,
А надежда все поет вдали.
Приговор... и сразу слезы хлынут,
Ото всех уже отдалена,
Словно с болью жизнь из сердца вынут,
Словно грубо навзничь опрокинут,
Но идет... Шатается... Одна...
Где теперь невольные подруги
Двух моих осатанелых лет?
Что им чудится в сибирской вьюге,
Что мерещится им в лунном круге?
Им я шлю прощальный мой привет.

Март 1940

ВСТУПЛЕНИЕ

Это было, когда улыбался
Только мертвый, спокойствию рад.
И ненужным привеском болтался
Возле тюрем своих Ленинград.
И когда, обезумев от муки,
Уже шли осужденных полки,
И короткую песню разлуки
Паровозные пели гудки,

Звезды смерти стояли над нами,
И безвинная корчилась Русь
Под кровавыми сапогами
И под шинами черных «марусь».

Уводили тебя на рассвете,
За тобой, как на выносе, шла,
В темной горнице плакали дети,
У божницы свеча оплыла.
На губах твоих холод иконки.
Смертный пот на челе... Не забыть! —
Буду я, как стрелецкие женки,
Под кремлевскими башнями выть.

1935. Осень. Москва

*

Тихо льется тихий Дон,
Желтый месяц входит в дом.

Входит в шапке набекрень,
Видит желтый месяц тень.

Эта женщина больна,
Эта женщина одна.

Муж в могиле, сын в тюрьме,
Помолитесь обо мне.

Нет, это не я, это кто-то другой страдает.
Я бы так не могла. А то, что случилось,
Пусть черные сукна покроют,
И пусть унесут фонари...

                              Ночь.

Показать бы тебе, насмешнице
И любимице всех друзей,
Царскосельской веселой грешнице,
Что случится в жизни твоей —
Как трехсотая, с передачею,
Под Крестами будешь стоять,
И своею слезою горячею
Новогодний лед прожигать.
Как тюремный тополь качается,
И ни звука — а сколько там
Неповинных жизней кончается...

1938

*

Семнадцать месяцев кричу,
Зову тебя домой,
Кидалась в ноги палачу,
Ты сын и ужас мой.
Все перепуталось навек,
И мне не разобрать
Теперь, кто зверь, кто человек,
И долго ль казни ждать.
И только пышные цветы,
И звон кадильный, и следы
Куда-то в никуда.
И прямо мне в глаза глядит
И близкой гибелью грозит
Огромная звезда.

1939

*

Легкие летят недели,
Что случилось, не пойму,
Как тебе, сынок, в тюрьму
Ночи белые глядели,
Как они опять глядят
Ястребиным жарким оком,
О твоем кресте высоком
И о смерти говорят.

1939. Весна

ПРИГОВОР

И упало каменное слово
На мою, еще живую, грудь.
Ничего, ведь я была готова,
Справлюсь с этим как-нибудь.

У меня сегодня много дела:
Надо память до конца убить,
Надо, чтоб душа окаменела,
Надо снова научиться жить.

А не то... Горячий шелест лета,
Словно праздник за моим окном.
Я давно предчувствовала этот
Светлый день и опустелый дом.

1939. Лето
Фонтанный Дом

К СМЕРТИ

Ты все равно придешь — зачем же не теперь?
Я жду тебя — мне очень трудно.

Я потушила свет и отворила дверь
Тебе, такой простой и чудной.
Прими для этого какой угодно вид —
Ворвись отравленным снарядом
Иль с гирькой подкрадись, как опытный
бандит,
Иль отрави тифозным чадом.
Иль сказочкой, придуманной тобой
И всем до тошноты знакомой, —
Чтоб я увидела верх шапки голубой
И бледного от страха управдома.
Мне все равно теперь. Клубится Енисей,
Звезда Полярная сияет.
И синий блеск возлюбленных очей
Последний ужас застилает.

19 августа 1939
Фонтанный Дом

*

Уже безумие крылом
Души накрыло половину
И поит огненным вином
И манит в темную долину.

И поняла я, что ему
Должна я уступить победу,
Прислушиваясь к своему
Уже как бы чужому бреду.

И не позволит ничего
Оно мне унести с собою
(Как ни упрашивать его
И как ни докучать мольбою):

Ни сына страшные глаза —
Окаменелое страданье, —
Ни день, когда пришла гроза,
Ни час тюремного свиданья,

Ни милую прохладу рук,
Ни лип взволнованные тени,
Ни отдаленный легкий звук —
Слова последних утешений.

4 мая 1940

РАСПЯТИЕ

> «Не рыдай Мене, Мати,
> во гробе зрящи».

1

Хор ангелов великий час восславил,
И небеса разверзнулись в огне.
Отцу сказал: «Почто Меня оставил!»
А матери: «О, не рыдай Мене...»

2

Магдалина билась и рыдала,
Ученик любимый каменел,
А туда, где молча мать стояла,
Так никто взглянуть и не посмел.

ЭПИЛОГ

1

Узнала я, как опадают лица,
Как из-под век выглядывает страх,

Как клинописи жесткие страницы
Страдание выводит на щеках,
Как локоны из пепельных и черных
Серебряными делаются вдруг,
Улыбка вянет на губах покорных,
И в сухоньком смешке дрожит испуг.
И я молюсь не о себе одной,
А обо всех, кто там стоял со мною
И в лютый холод, и в июльский зной
Под красною ослепшею стеною.

2

Опять поминальный приблизился час.
Я вижу, я слышу, я чувствую вас:

И ту, что едва до окна довели,
И ту, что родимой не топчет земли,

И ту, что, красивой тряхнув головой,
Сказала: «Сюда прихожу, как домой».

Хотелось бы всех поименно назва́ть,
Да отняли список, и негде узнать.

Для них соткала я широкий покров
Из бедных, у них же подслушанных слов.

О них вспоминаю всегда и везде,
О них не забуду и в новой беде,

И если зажмут мой измученный рот,
Которым кричит стомильонный народ,

Пусть так же они поминают меня
В канун моего погребального дня.

А если когда-нибудь в этой стране
Воздвигнуть задумают памятник мне,

Согласье на это даю торжество,
Но только с условьем — не ставить его

Ни около моря, где я родилась:
Последняя с морем разорвана связь,

Ни в царском саду у заветного пня,
Где тень безутешная ищет меня,

А здесь, где стояла я триста часов
И где для меня не открыли засов,

Затем, что и в смерти блаженной боюсь
Забыть громыхание черных «марусь»,

Забыть, как постылая хлопала дверь
И выла старуха, как раненый зверь.

И пусть с неподвижных и бронзовых век,
Как слезы, струится подтаявший снег,

И голубь тюремный пусть гулит вдали,
И тихо идут по Неве корабли.

1940. Март
Фонтанный Дом

ИЗ «СЕДЬМОЙ КНИГИ»

Пала седьмая завеса тумана, —
Та, за которой приходит весна.

Т. К.

ТАЙНЫ РЕМЕСЛА

1. Творчество

Бывает так: какая-то истома;
В ушах не умолкает бой часов;
Вдали раскат стихающего грома.
Неузнанных и пленных голосов
Мне чудятся и жалобы и стоны,
Сужается какой-то тайный круг,
Но в этой бездне шепотов и звонов
Встает один, все победивший звук.
Так вкруг него непоправимо тихо,
Что слышно, как в лесу растет трава,
Как по земле идет с котомкой лихо...
Но вот уже послышались слова
И легких рифм сигнальные звоночки, —
Тогда я начинаю понимать,
И просто продиктованные строчки
Ложатся в белоснежную тетрадь.

2

Мне ни к чему одические рати
И прелесть элегических затей.
По мне, в стихах все быть должно некстати,
Не так, как у людей.

Когда б вы знали, из какого сора
Растут стихи, не ведая стыда,

Как желтый одуванчик у забора,
Как лопухи и лебеда.

Сердитый окрик, дегтя запах свежий,
Таинственная плесень на стене...
И стих уже звучит, задорен, нежен,
На радость вам и мне.

3. Муза

Как и жить мне с этой обузой,
А еще называют Музой,
Говорят: «Ты с ней на лугу...»
Говорят: «Божественный лепет...»
Жестче, чем лихорадка, оттреплет,
И опять весь год ни гугу.

4. Поэт

Подумаешь, тоже работа, —
Беспечное это житье:
Подслушать у музыки что-то
И выдать шутя за свое.

И чье-то веселое скерцо
В какие-то строки вложив,
Поклясться, что бедное сердце
Так стонет средь блещущих нив.

А после подслушать у леса,
У сосен, молчальниц на вид,
Пока дымовая завеса
Тумана повсюду стоит.

Налево беру и направо
И даже, без чувства вины,

Немного у жизни лукавой
И все — у ночной тишины.

5. Читатель

Не должен быть очень несчастным
И, главное, скрытным. О нет! —
Чтоб быть современнику ясным,
Весь настежь распахнут поэт.

И рампа торчит под ногами,
Все мертвенно, пусто, светло,
Лайм-лайта холодное пламя
Его заклеймило чело.

А каждый читатель как тайна,
Как в землю закопанный клад,
Пусть самый последний, случайный,
Всю жизнь промолчавший подряд.

Там все, что природа запрячет,
Когда ей угодно, от нас.
Там кто-то беспомощно плачет
В какой-то назначенный час.

И сколько там сумрака ночи,
И тени, и сколько прохлад,
Там те незнакомые очи
До света со мной говорят,

За что-то меня упрекают
И в чем-то согласны со мной...
Так исповедь льется немая,
Беседы блаженнейший зной.

Наш век на земле быстротечен
И тесен назначенный круг,
А он неизменен и вечен —
Поэта неведомый друг.

6. Последнее стихотворение

Одно, словно кем-то встревоженный гром,
С дыханием жизни врывается в дом,
Смеется, у горла трепещет,
И кружится, и рукоплещет.

Другое, в полночной родясь тишине,
Не знаю откуда крадется ко мне,
Из зеркала смотрит пустого
И что-то бормочет сурово.

А есть и такие: средь белого дня,
Как будто почти что не видя меня,
Струятся по белой бумаге,
Как чистый источник в овраге.

А вот еще: тайное бродит вокруг —
Не звук и не цвет, не цвет и не звук, —
Гранится, меняется, вьется,
А в руки живым не дается.

Но это!.. по капельке выпило кровь,
Как в юности злая девчонка — любовь,
И, мне не сказавши ни слова,
Безмолвием сделалось снова.

И я не знавала жесточе беды.
Ушло, и его протянулись следы

К какому-то крайнему краю,
А я без него... умираю.

7. Эпиграмма

Могла ли Биче словно Дант творить,
Или Лаура жар любви восславить?
Я научила женщин говорить...
Но, Боже, как их замолчать заставить!

8. Про стихи

Владимиру Нарбуту

Это — выжимки бессонниц,
Это — свеч кривых нагар,
Это — сотен белых звонниц
Первый утренний удар...
Это — теплый подоконник
Под черниговской луной,
Это — пчелы, это — донник,
Это — пыль, и мрак, и зной.

9

Осипу Мандельштаму

Я над ними склонюсь, как над чашей,
В них заветных заметок не счесть —
Окровавленной юности нашей
Это черная нежная весть.

Тем же воздухом, так же над бездной
Я дышала когда-то в ночи,

В той ночи и пустой и железной,
Где напрасно зови и кричи.

О, как пряно дыханье гвоздики,
Мне когда-то приснившейся там, —
Это кружатся Эвридики,
Бык Европу везет по волнам.

Это наши проносятся тени
Над Невой, над Невой, над Невой,
Это плещет Нева о ступени,
Это пропуск в бессмертие твой.

Это ключики от квартиры,
О которой теперь ни гугу...
Это голос таинственной лиры,
На загробном гостящей лугу.

10

Многое еще, наверно, хочет
Быть воспетым голосом моим:
То, что, бессловесное, грохочет,
Иль во тьме подземный камень точит,
Или пробивается сквозь дым.
У меня не выяснены счеты
С пламенем, и ветром, и водой...
Оттого-то мне мои дремоты
Вдруг такие распахнут ворота
И ведут за утренней звездой.

1936—1960

* * *

Наше священное ремесло
Существует тысячи лет...
С ним и без света миру светло.
Но еще ни один не сказал поэт,
Что мудрости нет, и старости нет,
А может, и смерти нет.

1944

В СОРОКОВОМ ГОДУ

1

Когда погребают эпоху,
Надгробный псалом не звучит,
Крапиве, чертополоху
Украсить ее предстоит.
И только могильщики лихо
Работают. Дело не ждет!
И тихо, так, Господи, тихо,
Что слышно, как время идет.
А после она выплывает,
Как труп на весенней реке, —
Но матери сын не узнает,
И внук отвернется в тоске.
И клонятся головы ниже,
Как маятник, ходит луна.

Так вот — над погибшим Парижем
Такая теперь тишина.

2. Лондонцам

Двадцать четвертую драму Шекспира
Пишет время бесстрастной рукой,
Сами участники грозного пира,
Лучше мы Гамлета, Цезаря, Лира
Будем читать над свинцовой рекой;
Лучше сегодня голубку Джульетту
С пеньем и факелом в гроб провожать,

Лучше заглядывать в окна к Макбету,
Вместе с наемным убийцей дрожать, —
Только не эту, не эту, не эту,
Эту уже мы не в силах читать!

3. Тень

> Что знает женщина одна
> о часе смертном?
>
> О. Мандельштам

Всегда нарядней всех, всех розовей и выше,
Зачем всплываешь ты со дна погибших лет
И память хищная передо мной колышет
Прозрачный профиль твой за стеклами карет?
Как спорила тогда — ты ангел или птица!
Соломинкой тебя назвал поэт.
Равно на всех сквозь черные ресницы
Дарьяльских глаз струился нежный свет.
О тень! Прости меня, но ясная погода,
Флобер, бессонница и поздняя сирень
Тебя — красавицу тринадцатого года —
И твой безоблачный и равнодушный день
Напомнили... А мне такого рода
Воспоминанья не к лицу. О тень!

4

Уж я ль не знала бессонницы
Все пропасти и тропы,
Но эта как топот конницы
Под вой одичалой трубы.
Вхожу в дома опустелые,
В недавний чей-то уют.

Все тихо, лишь тени белые
В чужих зеркалах плывут.
И что там в тумане — Дания,
Нормандия, или тут
Сама я бывала ранее,
И это — переиздание
Навек забытых минут?

5

Но я предупреждаю вас,
Что я живу в последний раз.
Ни ласточкой, ни кленом,
Ни тростником и ни звездой,
Ни родниковою водой,
Ни колокольным звоном —
Не буду я людей смущать
И сны чужие навещать
Неутоленным стоном.

1940

ВЕТЕР ВОЙНЫ

Клятва

И та, что сегодня прощается с милым, —
Пусть боль свою в силу она переплавит.
Мы детям клянемся, клянемся могилам,
Что нас покориться никто не заставит!

Ленинград
Июль 1941

Первый дальнобойный
в Ленинграде

И в пестрой суете людской
Все изменилось вдруг.
Но это был не городской,
Да и не сельский звук.
На грома дальнего раскат
Он, правда, был похож, как брат,
Но в громе влажность есть
Высоких свежих облаков
И вожделение лугов —
Веселых ливней весть.
А этот был, как пекло, сух,
И не хотел смятенный слух
Поверить — по тому,
Как расширялся он и рос,
Как равнодушно гибель нес
Ребенку моему.

Сентябрь 1941

Мужество

Мы знаем, что́ ныне лежит на весах
И что́ совершается ныне.
Час мужества пробил на наших часах,
И мужество нас не покинет.
Не страшно под пулями мертвыми лечь,
Не горько остаться без крова, —
И мы сохраним тебя, русская речь,
Великое русское слово.
Свободным и чистым тебя пронесем,
И внукам дадим, и от плена спасем
                    Навеки!

Февраль 1942

* * *

1

Щели в саду вырыты,
Не горят огни.
Питерские сироты,
Детоньки мои!
Под землей не дышится,
Боль сверлит висок,
Сквозь бомбежку слышится
Детский голосок.

2

Постучи кулачком — я открою.
Я тебе открывала всегда.
Я теперь за высокой горою,
За пустыней, за ветром и зноем,
Но тебя не предам никогда...
Твоего я не слышала стона.
Хлеба ты у меня не просил.
Принеси же мне ветку клена
Или просто травинок зеленых,
Как ты прошлой весной приносил.
Принеси же мне горсточку чистой,
Нашей невской студеной воды,
И с головки твоей золотистой
Я кровавые смою следы.

1942

Nox
Статуя «Ночь» в Летнем саду

Ноченька!
В звездном покрывале,
В траурных маках, с бессонной совой...
Доченька!
Как мы тебя укрывали
Свежей садовой землей.
Пусты теперь Дионисовы чаши,
Заплаканы взоры любви...
Это проходят над городом нашим
Страшные сестры твои.

1942

Причитание

Ленинградскую беду
Руками не разведу,
Слезами не смою,
В землю не зарою.
За версту я обойду
Ленинградскую беду.
Я не взглядом, не намеком,
Я не словом, не попреком,
  Я земным поклоном
    В поле зеленом
      Помяну.

1944. Ленинград

Победителям

Сзади Нарвские были ворота,
Впереди была только смерть...
Так советская шла пехота
Прямо в желтые жерла «Берт».
Вот о вас и напишут книжки:
«Жизнь свою за други своя»,
Незатейливые парнишки —
Ваньки, Васьки, Алешки, Гришки,
Внуки, братики, сыновья!

1944

Победа

1

Славно начато славное дело
В грозном грохоте, в снежной пыли,
Где томится пречистое тело
Оскверненной врагами земли.
К нам оттуда родные березы
Тянут ветки, и ждут, и зовут,
И могучие деды морозы
С нами сомкнутым строем идут.

2

Вспыхнул над молом первый маяк,
Других маяков предтеча, —
Заплакал и шапку снял моряк,
Что плавал в набитых смертью морях
Вдоль смерти и смерти навстречу.

3

Победа у наших стоит дверей...
Как гостью желанную встретим?
Пусть женщины выше поднимут детей,
Спасенных от тысячи тысяч смертей, —
Так мы долгожданной ответим.

1942—1945

Памяти друга

И в День Победы, нежный и туманный,
Когда заря, как зарево, красна,
Вдовою у могилы безымянной
Хлопочет запоздалая весна.
Она с колен подняться не спешит,
Дохнет на почку и траву погладит,
И бабочку с плеча на землю ссадит,
И первый одуванчик распушит.

1945

Луна в зените

1

Заснуть огорченной,
Проснуться влюбленной,
Увидеть, как красен мак.
Какая-то сила
Сегодня входила
В твое святилище, мрак!
Мангалочий дворик,
Как дым твой горек
И как твой тополь высок...
Шехерезада
Идет из сада...
Так вот ты какой, Восток!

2

С грозных ли площадей Ленинграда
Иль с блаженных летейских полей
Ты прислал мне такую прохладу,
Тополями украсил ограды
И азийских светил мириады
Расстелил над печалью моей?

3

Все опять возвратится ко мне:
Раскаленная ночь и томленье
(Словно Азия бредит во сне),

Халимы соловьиное пенье,
И библейских нарциссов цветенье,
И незримое благословенье
Ветерком шелестнет по стране.

4

И в памяти, словно в узорной укладке:
Седая улыбка всезнающих уст,
Могильной чалмы благородные складки
И царственный карлик — гранатовый куст.

5

Третью весну встречаю вдали
    От Ленинграда.
Третью? И кажется мне, она
    Будет последней.
Но не забуду я никогда,
    До часа смерти,
Как был отраден мне звук воды
    В тени древесной.
Персик зацвел, а фиалок дым
    Все благовонней.
Кто мне посмеет сказать, что здесь
    Я на чужбине?!

6

Я не была здесь лет семьсот,
Но ничего не изменилось...
Все так же льется божья милость
С непререкаемых высот,

Все те же хоры звезд и вод,
Все так же своды неба черны,
И так же ветер носит зерна,
И ту же песню мать поет.

Он прочен, мой азийский дом,
И беспокоиться не надо...
Еще приду. Цвети, ограда,
Будь полон, чистый водоем.

7. Явление луны

А. К.

Из перламутра и агата,
Из задымленного стекла,
Так неожиданно покато
И так торжественно плыла, —
Как будто «Лунная соната»
Нам сразу путь пересекла.

8

Как в трапезной — скамейки, стол, окно
С огромною серебряной луною.
Мы кофе пьем и черное вино,
Мы музыкою бредим...
                        Все равно...
И зацветает ветка над стеною.
И в этом сладость острая была,
Неповторимая, пожалуй, сладость.
Бессмертных роз, сухого винограда
Нам родина пристанище дала.

Ташкент
1942—1944

* * *

Когда лежит луна ломтем чарджуйской дыни
На краешке окна, и духота кругом,
Когда закрыта дверь, и заколдован дом
Воздушной веткой голубых глициний,
И в чашке глиняной холодная вода,
И полотенца снег, и свечка восковая
Горит, как в детстве, мотыльков сзывая,
Грохочет тишина, моих не слыша слов, —
Тогда из черноты рембрандтовских углов
Склубится что-то вдруг и спрячется туда же,
Но я не встрепенусь, не испугаюсь даже...
Здесь одиночество меня поймало в сети.
Хозяйкин черный кот глядит, как глаз столетий,
И в зеркале двойник не хочет мне помочь.
Я буду сладко спать. Спокойной ночи, ночь.

Ташкент
1944

* * *

Это рысьи глаза твои, Азия,
Что-то высмотрели во мне,
Что-то выдразнили подспудное,
И рожденное тишиной,
И томительное, и трудное,
Как полдневный термезский зной.
Словно вся прапамять в сознание
Раскаленной лавой текла,
Словно я свои же рыдания
Из чужих ладоней пила.

1945

Ташкент зацветает

Словно по чьему-то повеленью,
Сразу стало в городе светло —
Это в каждый двор по привиденью
Белому и легкому вошло.
И дыханье их понятней слова,
А подобье их обречено
Среди неба жгуче-голубого
На арычное ложиться дно.

Я буду помнить звездный кров
В сиянье вечных слав
И маленьких баранчуков
У чернокосых матерей
На молодых руках.

1944

С самолета

1

На сотни верст, на сотни миль,
На сотни километров
Лежала соль, шумел ковыль,
Чернели рощи кедров.
Как в первый раз я на нее,
На Родину, глядела.
Я знала: это все мое —
Душа моя и тело.

2

Белым камнем тот день отмечу,
Когда о победе пела,
Когда я победе навстречу,
Обгоняя солнце, летела.

3

И весеннего аэродрома
Шелестит под ногой трава.
Дóма, дóма — ужели дома!
Как все ново и как знакомо,
И такая в сердце истома,
Сладко кружится голова...
В свежем грохоте майского грома —
Победительница Москва!

Май 1944

ВЕРЕНИЦА
ЧЕТВЕРОСТИШИЙ

* * *

Ржавеет золото, и истлевает сталь,
Крошится мрамор. К смерти все готово.
Всего прочнее на земле — печаль
И долговечней — царственное слово.

1945

К стихам

Вы так вели по бездорожью,
Как в мрак падучая звезда.
Вы были горечью и ложью,
А утешеньем — никогда.

Конец демона

Словно Врубель наш вдохновенный,
Лунный луч тот профиль чертил.
И поведал ветер блаженный
То, что Лермонтов утаил.

1961

* * *

И было сердцу ничего не надо,
Когда пила я этот жгучий зной...

«Онегина» воздушная громада,
Как облако, стояла надо мной.

1962

* * *

Взоры огненней огня
И усмешка Леля...
Не обманывай меня,
Первое апреля!

1963

* * *

...И на этом сквозняке
Исчезают мысли, чувства...
Даже вечное искусство
Нынче как-то налегке!

Имя

Татарское, дремучее,
Пришло из никуда,
К любой беде липучее,
Само оно — беда.

1958

* * *

И слава лебедью плыла
Сквозь золотистый дым.
А ты, любовь, всегда была
Отчаяньем моим.

* * *

О своем я уже не заплачу,
Но не видеть бы мне на земле
Золотое клеймо неудачи
На еще безмятежном челе.

1962

* * *

Не лирою влюбленного
Иду прельщать народ,
Трещотка прокаженного
В моих руках поет.

* * *

Что войны, что чума? — конец им виден
                                   скорый,
Им приговор почти произнесен.
Но кто нас защитит от ужаса, который
Был бегом времени когда-то наречен?

1961

ПОД КОЛОМНОЙ

Шервинским

...Где на четырех высоких лапах
Колокольни звонкие бока
Поднялись, где в поле мятный запах,
И гуляют маки в красных шляпах,
И течет московская река, —
Все бревенчато, дощато, гнуто...
Полноценно цедится минута
На часах песочных. Этот сад
Всех садов и всех лесов дремучей,
И над ним, как над бездонной кручей,
Солнца древнего из сизой тучи
Пристален и нежен долгий взгляд.

1943

* * *

Все души милых на высоких звездах.
Как хорошо, что некого терять
И можно плакать. Царскосельский воздух
Был создан, чтобы песни повторять.

У берега серебряная ива
Касается сентябрьских ярких вод.
Из прошлого восставши, молчаливо
Ко мне навстречу тень моя идет.

Здесь столько лир повешено на ветки,
Но и моей как будто место есть.
А этот дождик, солнечный и редкий,
Мне утешенье и благая весть.

1944

CINQUE[1]

Autant que toi sans doute, il te sera fidèle,
Et constant jusques à la mort.

Baudelaire[2]

1

Как у облака на краю,
Вспоминаю я речь твою,

А тебе от речи моей
Стали ночи светлее дней.

Так, отторгнутые от земли,
Высоко мы, как звезды, шли.

Ни отчаянья, ни стыда
Ни теперь, ни потом, ни тогда.

Но, живого и наяву,
Слышишь ты, как тебя зову.

И ту дверь, что ты приоткрыл,
Мне захлопнуть не хватит сил.

26 ноября 1945

2

Истлевают звуки в эфире,
И заря притворилась тьмой.

---

[1] Пять (пятерка) *(ит.).*
[2] Как ты ему верна, тебе он будет верен и не изменит до
конца. *Бодлер (фр.).*

В навсегда онемевшем мире
Два лишь голоса: твой и мой.
И под ветер с незримых Ладог,
Сквозь почти колокольный звон,
В легкий блеск перекрестных радуг
Разговор ночной превращен.

20 декабря 1945

3

Я не любила с давних дней,
Чтобы меня жалели,
А с каплей жалости твоей
Иду, как с солнцем в теле.
Вот отчего вокруг заря.
Иду я, чудеса творя,
Вот отчего!

20 декабря 1945

4

Знаешь сам, что не стану славить
Нашей встречи горчайший день.
Что тебе на память оставить,
Тень мою? На что тебе тень?
Посвященье сожженной драмы,
От которой и пепла нет,
Или вышедший вдруг из рамы
Новогодний страшный портрет?
Или слышимый еле-еле
Звон березовых угольков,

Или то, что мне не успели
Досказать про чужую любовь?

6 января 1946

5

Не дышали мы сонными маками,
И своей мы не знаем вины.
Под какими же звездными знаками
Мы на горе себе рождены?
И какое кромешное варево
Поднесла нам январская тьма?
И какое незримое зарево
Нас до света сводило с ума?

11 января 1946

***

Один идет прямым путем,
Другой идет по кругу
И ждет возврата в отчий дом,
Ждет прежнюю подругу.
А я иду — за мной беда,
Не прямо и не косо,
А в никуда и в никогда,
Как поезда с откоса.

1940

ТРИЛИСТНИК МОСКОВСКИЙ

Почти в альбом

Услышишь гром и вспомнишь обо мне,
Подумаешь: она грозы желала...
Полоска неба будет твердо-алой,
А сердце будет как тогда — в огне.
Случится это в тот московский день,
Когда я город навсегда покину
И устремлюсь к желанному притину,
Свою меж вас еще оставив тень.

Без названия

Среди морозной праздничной Москвы,
Где протекает наше расставанье
И где, наверное, прочтете вы
Прощальных песен первое изданье —
Немного удивленные глаза...
«Что? Что? Уже? Не может быть!» —
                              «Конечно!..»
И святочного неба бирюза,
И все кругом блаженно и безгрешно...

Нет, так не расставался никогда
Никто ни с кем, и это нам награда
        За подвиг наш.

Еще тост

За веру твою! И за верность мою!
За то, что с тобою мы в этом краю!

Пускай навсегда заколдованы мы,
Но не было в мире прекрасней зимы,

И не было в небе узорней крестов,
Воздушней цепочек, длиннее мостов...

За то, что все плыло, беззвучно скользя.
За то, что нам видеть друг друга нельзя,

За все, что мне снится еще и теперь,
Хоть прочно туда заколочена дверь.

1961—1963

НЕЧЕТ

Приморский сонет

Здесь все меня переживет,
Все, даже ветхие скворешни
И этот воздух, воздух вешний,
Морской свершивший перелет.

И голос вечности зовет
С неодолимостью нездешней,
И над цветущею черешней
Сиянье легкий месяц льет.

И кажется такой нетрудной,
Белея в чаще изумрудной,
Дорога не скажу куда...

Там средь стволов еще светлее,
И все похоже на аллею
У царскосельского пруда.

Комарово
1958

* * *

Не стращай меня грозной судьбой
И великою северной скукой.
Нынче праздник наш первый с тобой,
И зовут этот праздник — разлукой.
Ничего, что не встретим зарю,
Что луна не блуждала над нами,
Я сегодня тебя одарю
Небывалыми в мире дарами:
Отраженьем моим на воде
В час, как речке вечерней не спится,
Взглядом тем, что падучей звезде
Не помог в небеса возвратиться,
Эхом голоса, что изнемог,
А тогда был и свежий и летний, —
Чтоб ты слышать без трепета мог
Воронья подмосковного сплетни,
Чтобы сырость октябрьского дня
Стала слаще, чем майская нега...
Вспоминай же, мой ангел, меня,
Вспоминай хоть до первого снега.

1959

ГОРОДУ ПУШКИНА

И царскосельские хранительные сени...

Пушкин

1

О, горе мне! Они тебя сожгли...
О, встреча, что разлуки тяжелее!..
Здесь был фонтан, высокие аллеи,
Громада парка древнего вдали,
Заря была себя самой алее,
В апреле запах прели и земли,
И первый поцелуй...

2

Этой ивы листы в девятнадцатом веке увяли,
Чтобы в строчке стиха серебриться свежее стократ.
Одичалые розы пурпурным шиповником стали,
А лицейские гимны всё так же заздравно звучат.

Полстолетья прошло... Щедро взыскана дивной
судьбою,
Я в беспамятстве дней забывала теченье годов, —
И туда не вернусь! Но возьму и за Лету с собою
Очертанья живые моих царскосельских садов.

1957

ПЕСЕНКИ

1. Дорожная,
или Голос из темноты

Кто чего боится,
То с тем и случится, —
Ничего бояться не надо.
Эта песня пета,
Пета, да не эта,
А другая, тоже
На нее похожа...
       Боже!

1943

2. Застольная

Под узорной скатертью
   Не видать стола.
Я стихам не матерью —
   Мачехой была.
Эх, бумага белая,
   Строчек ровный ряд.
Сколько раз глядела я,
   Как они горят.
Сплетней изувечены,
   Биты кистенем,
Мечены, мечены
   Каторжным клеймом.

3. Лишняя

Тешил — ужас. Грела — вьюга.
Вёл вдоль смерти — мрак.
Отняты мы друг у друга...
Разве можно так?
Если хочешь — расколдую,
Доброй быть позволь:
Выбирай себе любую,
Но не эту боль.

1959

4. Прощальная

Не смеялась и не пела,
Целый день молчала,
А всего с тобой хотела
С самого начала:
Беззаботной первой ссоры,
Полной светлых бредней,
И безмолвной, черствой, скорой
Трапезы последней.

1959

5. Последняя

Услаждала бредами,
Пением могил.
Наделяла бедами
Свыше всяких сил.
Занавес неподнятый,
Хоровод теней, —

Оттого и отнятый
Был мне всех родней.
Это все поведано
Самой глуби роз.
Но забыть мне не дано
Вкус вчерашних слез.

1964

МАРТОВСКАЯ ЭЛЕГИЯ

Прошлогодних сокровищ моих
Мне надолго, к несчастию, хватит.
Знаешь сам, половины из них
Злая память никак не истратит:
Набок сбившийся куполок,
Грай вороний, и вопль паровоза,
И как будто отбывшая срок
Ковылявшая в поле береза,
И огромных библейских дубов
Полуночная тайная сходка,
И из чьих-то приплывшая снов
И почти затонувшая лодка...
Побелив эти пашни чуть-чуть,
Там предзимье уже побродило,
Дали все в непроглядную муть
Ненароком оно превратило.
И казалось, что после конца
Никогда ничего не бывает...
Кто же бродит опять у крыльца
И по имени нас окликает?
Кто приник к ледяному стеклу
И рукою, как веткою, машет?..
А в ответ в паутинном углу
Зайчик солнечный в зеркале пляшет.

1960

РОДНАЯ ЗЕМЛЯ

И в мире нет людей бесслезней,
Надменнее и проще нас.

1922

В заветных ладанках не носим на груди,
О ней стихи навзрыд не сочиняем,
Наш горький сон она не бередит,
Не кажется обетованным раем.
Не делаем ее в душе своей
Предметом купли и продажи,
Хворая, бедствуя, немотствуя на ней,
О ней не вспоминаем даже.
     Да, для нас это грязь на калошах,
     Да, для нас это хруст на зубах.
     И мы мелем, и месим, и крошим
     Тот ни в чем не замешанный прах.
Но ложимся в нее и становимся ею,
Оттого и зовем так свободно — своею.

Ленинград
1961

СОДЕРЖАНИЕ

ИЗ КНИГИ «БЕЛАЯ СТАЯ»

ИЗ КНИГИ «ПОДОРОЖНИК»

ИЗ «СЕДЬМОЙ КНИГИ»

По вопросам оптовой покупки книг
«Издательской группы АСТ» обращаться по адресу:
Звездный бульвар, дом 21, 7-й этаж
Тел. 215-43-38, 215-01-01, 215-55-13

Книги «Издательской группы АСТ» можно заказать по адресу:
107140, Москва, а/я 140, АСТ — «Книги по почте»

Рекомендовано для внеклассного чтения

Литературно-художественное издание

Ахматова Анна Андреевна

Синий пожар

Поэзия

Технический редактор *Л.Т. Ена*
Компьютерная верстка: *Н.А. Побигайло*
Компьютерный дизайн: *Ю.Ю. Герцева*
Корректор *Е.А. Волкова*

Общероссийский классификатор продукции
ОК-005-93, том 2; 953005 — учебная

Гигиеническое заключение
№ 77.99.02.953.Д.008286.12.02 от 09.12.2002 г.

ООО «Издательство АСТ»
667000, Республика Тыва, г. Кызыл, ул. Кочетова, д. 28
нные адреса:
ail: astpub@aha.ru
цензия ЛВ № 32 от 27.08.02.
ан, д. 1, корп. 3, эт. 4, к. 42.

арное предприятие
ский Дом печати».
220013, Минск, пр. Ф. Скорины, 79.